POKA Y MINA

FUTBOL

Para los primeros entrenadores de Elías, Patrick y su hijo Pierrick

Coordinación de la colección: Mariana Mendía
Cuidado de la edición: Carla Hinojosa Guerrero
Formación: Sofía Escamilla Sevilla
Diseño de forros: Javier Morales Soto
Traducción: Mariana Mendía

Poka y Mina. Futbol

Título original en francés: *Poka et Mine: le football*

Texto e ilustraciones de Kitty Crowther

Publicado por acuerdo con Isabelle Torrubia Agencia Literaria

Primera edición: enero de 2017

Insurgentes Sur 1886. Col. Florida.
Del. Álvaro Obregón.
C. P. 01030, México, D. F.

Ediciones Castillo forma parte del Grupo Macmillan.

www.grupomacmillan.com
www.edicionescastillo.com
infocastillo@grupomacmillan.com
Lada sin costo: 01 800 536 1777

Miembro de la Cámara Nacional de la Industria Editorial Mexicana.
Registro núm. 3304

ISBN: 978-607-621-717-7

Impreso en México / *Printed in Mexico*

KITTY CROWTHER

POKA Y MINA

FUTBOL

Poka y Mina van al parque. Es una linda tarde para dar un paseo bajo las umbelíferas.

Luego de caminar un rato, Poka propone:

—¿Nos sentamos?

—Papá... ¡quiero jugar futbol! —declara Mina.

—Pero el futbol es un deporte para niños —responde Poka.

—¿Sí? ¿Y qué?

Al día siguiente, van al club de futbol más cercano para que Mina se inscriba y le entreguen su uniforme nuevo.

—Habrá que comprarle unas espinilleras y unos tenis —advierte el entrenador.

Mina se siente como en las nubes.

12

Mina está tan emocionada que no se quita el uniforme para nada.

—¡Mira esos tacos, papá!

—Son un poco caros, Mina —responde Poka.

—Pero estoy segura de que con ellos meteré muchos goles.

—Por favor, por favor, por favor... Y no dejaré de quererte nunca.

—Yo pensaba que me querrías siempre —responde Poka riendo.

—Mañana es tu primer entrenamiento y necesitas dormir bien, Mina. Descansa —recomienda Poka.

12

Es la primera vez que Mina pisa una cancha de futbol. Le gustaría que se la tragara la tierra cuando el entrenador presenta vagamente a todos los jugadores.

Mina hace diez lagartijas y corre alrededor de la cancha por un buen rato, pero se cansa pronto.

—¡Con más garra, Mina! —demanda el entrenador.

—¡Que lleves tacos nuevos no quiere decir que sepas jugar fut! —grita uno de sus compañeros.

Después del entrenamiento, Mina espera a que los niños terminen de bañarse para que ella pueda hacer lo mismo.

Cuando por fin está bajo la regadera, Mina siente muchas ganas de llorar, pero no puede.

Mientras tanto, Poka la espera afuera. En cuanto lo ve, Mina se lanza a sus brazos y comienza a llorar.

Poka está muy enojado.

—Voy a decirle dos o tres cosas a ese entrenador.

—¡No, por favor! —suplica Mina.

—¿Estás segura?

—Sí, estoy segura.

Poka y Mina caminan en silencio hasta su casa.

A la hora del té, Poka sugiere:

—Si lo prefieres, puedes dejar el futbol, Mina.

—¡No! Quiero seguir en el equipo...

Luego de pensarlo un rato, Mina pregunta:

—¿Tenemos un poco de pintura, papá? ¿Me dejarías pintar el muro que está al fondo del jardín?

Mina se siente satisfecha. Pareciera que pintar la tranquiliza y la relaja. Sin embargo, no es por eso que trazó sus círculos. ¡Todo lo contrario!

Mina practica su puntería. Durante varios días, entrena antes de ir a la escuela y también por las tardes...

… hasta el sábado del partido.

El entrenador deja a Mina en la banca: “Si tan sólo pudiera pisar la cancha…”, suspira Mina.

El juego está bastante aburrido pues ningún equipo anota todavía.

Uno de los jugadores de su equipo se lastima.

—¡Tu turno, Mina! ¡Tú puedes lograrlo!
—la anima el entrenador.

—¡Oh, no! —exclama el jugador herido—.
Ahora sí ya perdimos.

Mina aprieta los puños y entra en la cancha...

6
12
7
9
10

... recupera el balón, corre hacia la portería y tira.

6
9
12
7
2

—¡Bravo, Mina! ¡Ganamos! —gritan todos los niños de su equipo.

Están tan contentos que incluso le proponen ducharse después de ella.

Poka y Mina regresan a casa, felices.

—Estoy muy orgulloso de ti, Mina
—dice Poka.

Academia
de danza
Castillo

—Oye, papá... ¡quiero tomar clases de ballet!
—exclama Mina.

—Pero el ballet es un deporte para niñas
—responde Poka.

—¿Sí? ¿Y qué?

Impreso en los talleres de
Editorial Impresora Apolo, S. A. de C. V.
Centeno, 150-6. Col. Granjas Esmeralda.
Del. Iztapalapa. C. P. 09810. México D. F.
Enero de 2017.